Mon grand livre de chiffres

conçu et écrit par Vanna Bristot

illustré par Valérie Michaut

Editions Lito

1   un

Nicolas a 1 chat...

et toi ?

Combien d'animaux as-tu à la maison ?

Combien de chiens ?

Combien d'oiseaux ?

2   deux

... et Caroline
2 poissons rouges.

et toi ?

Combien ton lapin en peluche a-t-il d'oreilles ? `2`

Combien un chien a-t-il de pattes ? `4`

Combien un escargot a-t-il de cornes ? `2`

3 trois

Nicolas a 3 boutons à son polo...

et toi ?

Combien ta chemise a-t-elle de boutons ? 2

Combien ta veste a-t-elle de boutons ? 5

Combien ton pantalon a-t-il de boutons ? 1

4 quatre

... et Caroline
4 poches à sa combinaison.

et toi ?

Combien de poches y a-t-il à ta salopette ?

Combien de robes as-tu ?

Combien de chemisiers ?

5 cinq

Il y a 5 bougies sur le gâteau d'anniversaire de Nicolas.

et toi ?

Quel âge as-tu ? 8 ans 4

Quelle est ta date de naissance ? 91-09-19

Quelle est la date de naissance de ta maman ? 58-10-02

6 six

Il a invité 6 petits amis.

et toi ?

Combien de filles as-tu invitées à ton anniversaire ?

Combien de garçons ?

Combien de cadeaux as-tu reçus ?

Nicolas a
7 petites voitures...

et toi ?

Combien as-tu de petites voitures ? 3

Combien ton train a-t-il de wagons ? 0

Combien de peluches as-tu ?

8   huit

... et Caroline
8 crayons de couleur.

et toi ?

Combien de couleurs y a-t-il dans ta boîte de peinture ? 10

Combien de crayons de couleur as-tu ? 20

Combien de feutres ? 30

9   neuf

Nicolas tient 9 ballons dans ses mains.

et toi ?

Combien de ballons as-tu ?

Combien de balles ?

Combien de billes ?

10 dix

Il a 10 doigts.

et toi ?

Combien de doigts de pied as-tu ? 10

Combien de pouces ? 2

Forme un zéro avec ton pouce et ton index.

11 onze

Il y a 11 tasses sur les étagères.

et toi ?

Combien de tasses y a-t-il dans ta cuisine ? 12

Combien d'assiettes ? 6

Combien de chaises ? 6

12 douze

Nicolas et Caroline mangent à midi.

et toi ?

A quelle heure manges-tu ton petit déjeuner ? 8 h

A quelle heure manges-tu ton déjeuner ? 8 h

A quelle heure manges-tu ton goûter ? 10 h

A quelle heure manges-tu ton dîner ? 12 h

1
2
3
4
5
6
7
8
9
10
11
12

13 treize

Nicolas s'est déguisé en Indien. Il a 13 cuillères sur la tête.

et toi ?

Combien de masques as-tu ? 3

Combien de chapeaux ? 1

Combien de grimaces sais-tu faire ? 4

14 quatorze

Caroline s'est déguisée en fée. Elle a 14 étoiles sur sa robe.

et toi ?

Combien ton collier a-t-il de perles ? 0

Combien de bracelets as-tu ? 1

Combien de badges ? 0

1
2
3
4
5
6
7
8
9
10
11
12
13
14
15

Caroline a 15 culottes...

et toi ?

Combien de culottes y a-t-il dans ta commode ? 10

Combien de tee-shirts ? 100

Combien de collants ? 0

16 seize

... et Nicolas 16 chaussettes.

et toi ?

Combien de pyjamas as-tu ? 10

Combien d'écharpes ? 9

Combien de ceintures ? 1

19

1
2
3
4
5
6
7
8
9
10
11
12
13
14
15
16

Nicolas a 17 timbres dans sa collection...

et toi ?

Combien de timbres y a-t-il dans ton album ? 0

Combien un timbre a-t-il de côtés ? 4

Combien de différentes choses collectionnes-tu ? 1000

18 dix-huit

... et Caroline 18 livres dans sa bibliothèque.

et toi ?

Combien d'albums de coloriage as-tu ? *trop*

Combien de livres avec de belles histoires ?

Combien y a-t-il de pages à ton grand livre de chiffres ?

1
2
3
4
5
6
7
8
9
10
11
12
13
14
15
16
17
18

19 dix-neuf

Nicolas pèse 19 kg...

et toi ?

Combien pèses-tu ? kg

Combien pèse ta maman ? 20 kg

Combien mesures-tu ? 0 m

20 vingt

...et Caroline a 20 dents.

molaire

enfant

prémolaire

canine

incisive

6ans

et toi ?

Combien de dents as-tu ?

Combien de dents a ton papa ?

Combien de dents a ta grand-mère ?

30

Dans la classe de Nicolas...

trente

...il y a 30 élèves.

et toi ?

Combien d'enfants y a-t-il dans ta classe ? 25

Combien de filles ?

Combien de garçons ?

1
2
3
4
5
6
7
8
9
10
11
12
13
14
15
16
17
18
19
20
30

40

Nicolas et Caroline
sont en vacances à la mer.

quarante

Ils ont ramassé 40 coquillages.

1
2
3
4
5
6
7
8
9
10
11
12
13
14
15
16
17
18
19
20
30
40

et toi ?

Combien de semaines es-tu resté à la mer la dernière fois que tu y es allé ?

Combien de coquillages as-tu ramassés ?

Combien de glaces mangeais-tu par jour ?

50

Nicolas et Caroline
sont en vacances à la montagne.

cinquante

Nicolas passe sa première étoile.
Il a le numéro 50.

et toi ?

Combien de jours es-tu resté à la montagne
la dernière fois que tu y es allé ?

Quel numéro de dossard avais-tu ?

Quel était ton classement dans ta dernière descente ?

29

1
2
3
4
5
6
7
8
9
10
11
12
13
14
15
16
17
18
19
20
30
40
50

Nicolas et Caroline habitent...

soixante

...au 60 de la rue de Paris.

1
2
3
4
5
6
7
8
9
10
11
12
13
14
15
16
17
18
19
20
30
40
50
60

et toi ?

Quelle est ton adresse ?_____

Quelle est l'adresse de ton meilleur copain (ou copine) ?_____

_____

Quelle est l'adresse de tes grands-parents ?_____

Dans la rue
de Nicolas et Caroline...

soixante-dix

...il y a un immeuble de 70 fenêtres.

et toi ?

Combien de fenêtres y a-t-il chez toi ?

Combien d'arbres y a-t-il dans ta rue ?

Combien de lampadaires ?

1
2
3
4
5
6
7
8
9
10
11
12
13
14
15
16
17
18
19
20
30
40
50
60
70

Nicolas et Caroline
font des courses.

quatre-vingts

Ils ont compté 80 fruits à l'étalage de monsieur Pilou.

poires 12 frs/k.
pommes 8 frs/l.
bananes 9 frs/kg
cerises 15 frs/kg
kiwis 1 fr pièce
oranges
citron

oranges

poires

pommes

bananes

et toi ?

Combien de noyaux y a-t-il dans une pêche ?

Combien de noms de fruits différents connais-tu ?

Lorsque tu manges une orange, comptes-en les quartiers.

1
2
3
4
5
6
7
8
9
10
11
12
13
14
15
16
17
18
19
20
30
40
50
60
70
80

Le papa de Nicolas et Caroline roule sur une route...

et toi ?

Quel chiffre indique le panneau
de limitation de vitesse dans ta rue ?

Quel est le plus grand chiffre indiqué
sur le compteur de la voiture de tes parents ?

quatre-vingt-dix

...où la vitesse est limitée à 90 km/h.

et toi ?

Quels sont les deux derniers chiffres du numéro d'immatriculation de la voiture de tes parents ?

(Sais-tu que ce nombre est le numéro de ton département ?)

Nicolas et Caroline offrent un bouquet...

combien y a-t-il ?

de coucous ☐   de jonquilles ☐   de marguerites ☐

de violettes ☐   de brins de muguet ☐   de campanules ☐

cent

...de 100 fleurs à leur maman.

combien y a-t-il ?

de tournesols ☐   de roses ☐   de boutons-d'or ☐

de tulipes ☐   de pensées ☐   de coquelicots ☐

1
2
3
4
5
6
7
8
9
10
11
12
13
14
15
16
17
18
19
20
30
40
50
60
70
80
90
100

Combien Nicolas
a-t-il de bonbons:

rouges ☐   verts ☐   jaunes ☐

noirs ☐   roses ☐   bleus ☐

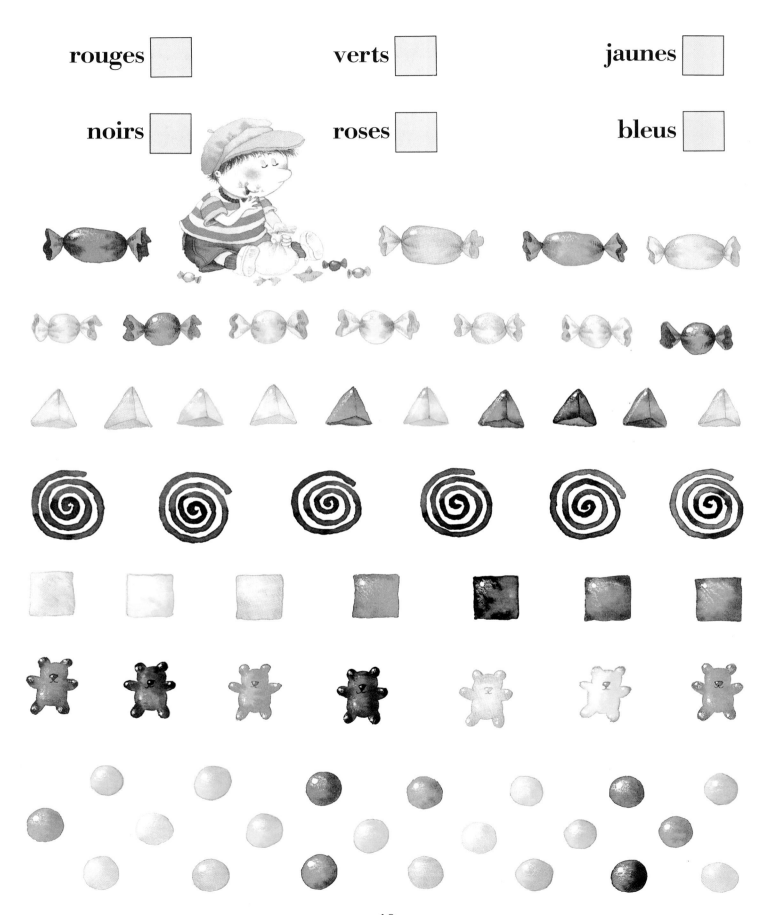

40

Pour décorer l'arbre de Noël, combien Caroline a-t-elle préparé de :

boules ▢   guirlandes ▢   bougies ▢

lampions ▢   étoiles ▢   personnages ▢

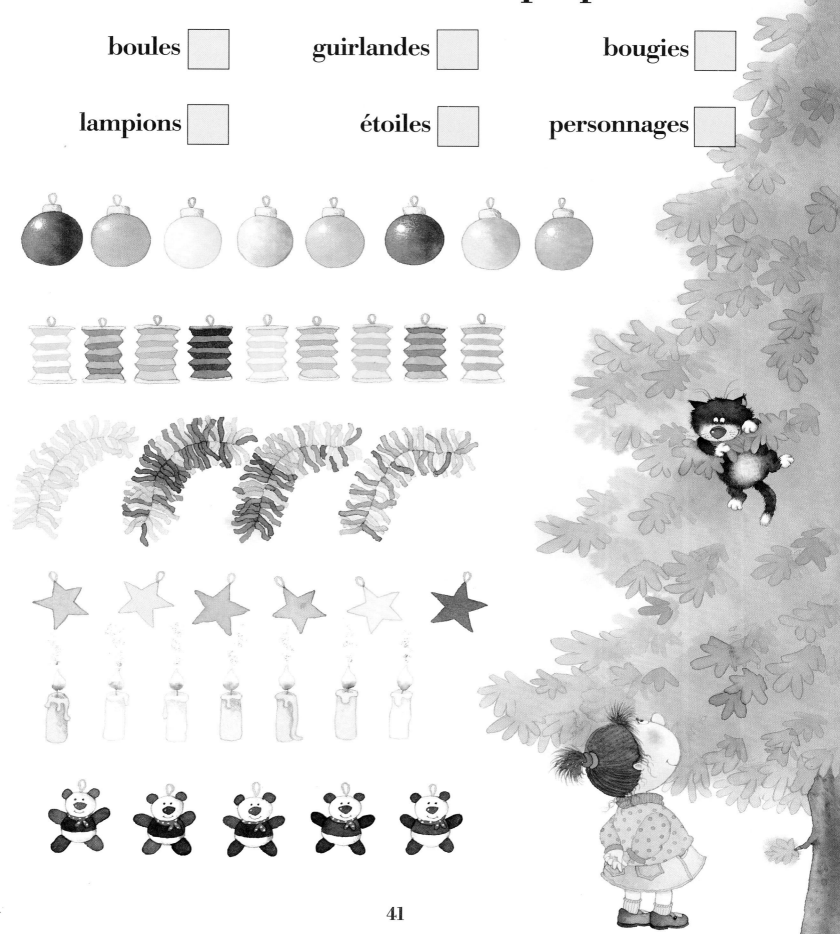

Dans la ferme
de leurs grands-parents...

vaches ☐   poules ☐   chiens ☐

cochons ☐   poussins ☐   chats ☐

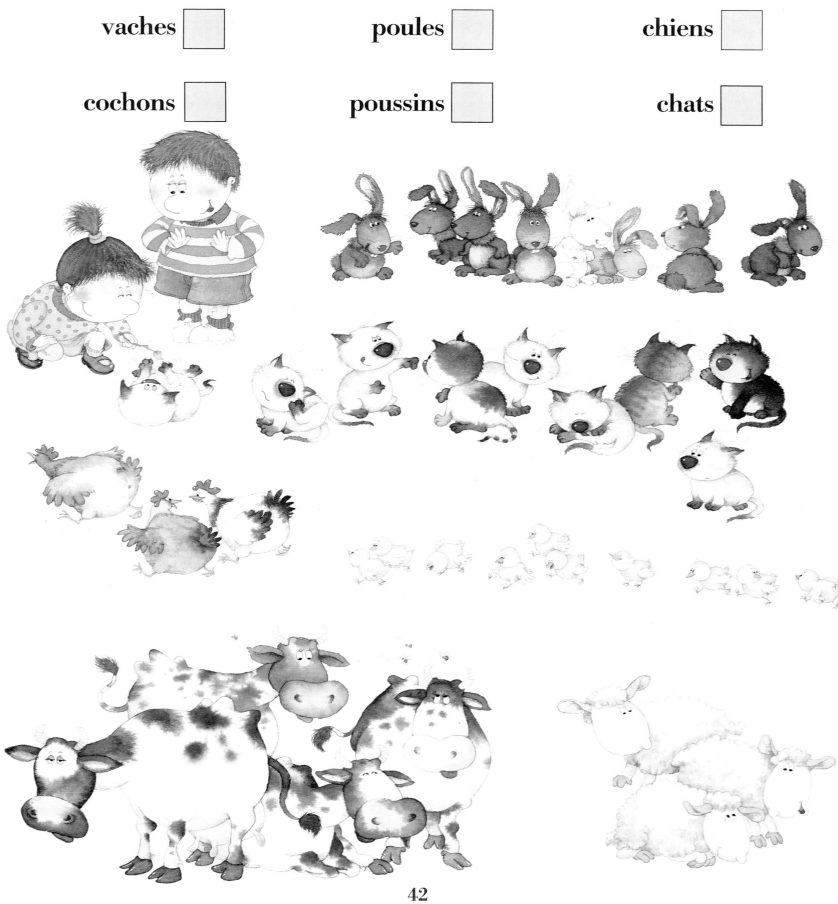

...combien Nicolas et Caroline comptent-ils de :

canards ☐   moutons ☐   oies ☐

lapins ☐   chevaux ☐   canetons ☐

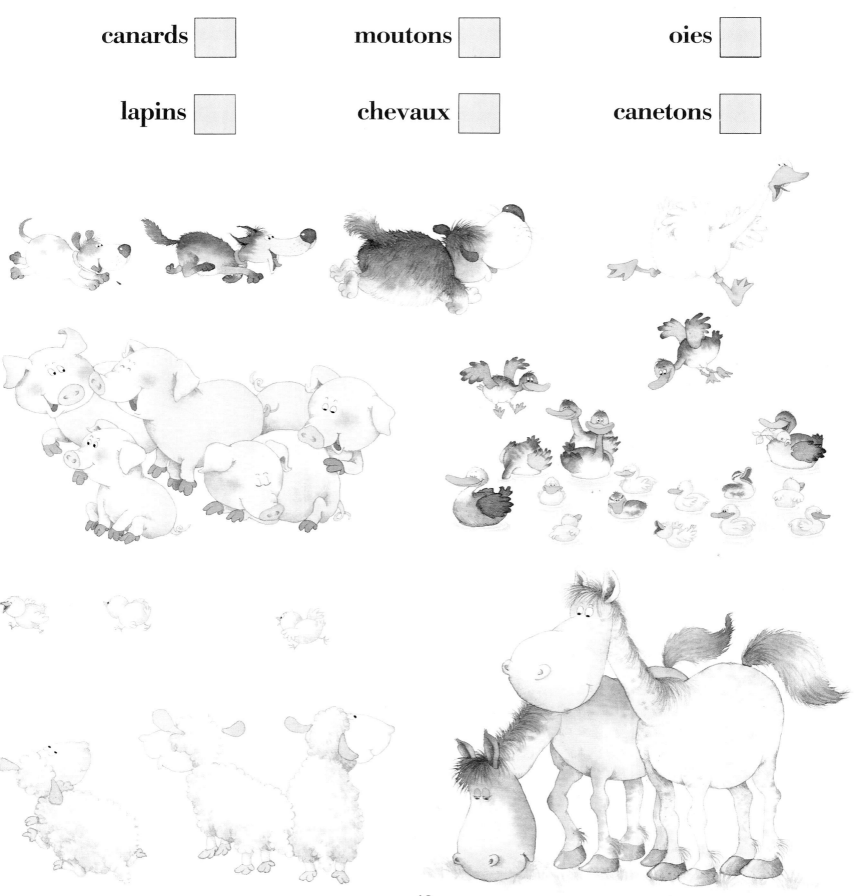

Te rappelles-tu ?

Combien Caroline  a-t-elle de poissons rouges ? 2

Quel est l'âge de Nicolas ? ans

Combien pèse-t-il ?

Combien Nicolas et Caroline ont-ils ramassé de coquillages ?

Quelle est leur adresse ?

rue de Paris

Chiffres cachés

Sais-tu reconnaître les chiffres qui se trouvent derrière Titou ?

La chasse au trésor

As-tu remarqué que dans ce livre se cachent des pièces d'or ?
Non ! Alors cherche-les !

Si tu ne les trouves pas, aide Nicolas et Caroline à déchiffrer
le parchemin que Caroline a découvert dans un livre de sa bibliothèque.

12.5.19   16.9.5.3.5.19

4. 15.18   19.15.14. 20   3.1.3.8.5.5.19

4.1.14.19   12.5   2.15.3.1.12   4.5.19

16.15.9. 19.19.15.14 .19

18.15.21. 7.5.19

code pour déchiffrer le parchemin :

a	b	c	d	e	f	g	h	i	j	k	l	m
1	2	3	4	5	6	7	8	9	10	11	12	13

n	o	p	q	r	s	t	u	v	w	x	y	z
14	15	16	17	18	19	20	21	22	23	24	25	26

Écris ci-dessous ce que dit le parchemin
au fur et à mesure que tu le déchiffres :

_____

_____

Solutions des jeux

p 38/39 - Les fleurs

coucous : 9   violettes : 2   jonquilles : 12
brins de muguet : 8   rose : 1   campanules : 18
tournesols : 7   tulipes : 11   marguerites : 15
pensées : 3   boutons-d'or : 10   coquelicots : 4

p 40 - Les bonbons

rouges : 10   verts : 7   jaunes : 16
noirs : 11   roses : 9   bleus : 9

p 41 - Les décorations de Noël

boules : 8   lampions : 9   guirlandes : 4
étoiles : 6   bougies : 7   personnages : 5

p 42/43 - Les animaux de la ferme

vaches : 4   poules : 3   chiens : 3   cochons : 5
poussins : 13   chats : 9   canards : 7   moutons : 6
oie : 1   lapins : 8   chevaux : 2   canetons : 10

p 44 - Les chiffres cachés

9 6 1 7 0 2 4 8 3 5

p 45 - La chasse au trésor

message codé :
*Les pièces d'or sont cachées
dans le bocal des poissons rouges.*

© Éditions Lito
41, rue de Verdun
94500 Champigny-sur-Marne
Imprimé en Italie
Loi n° 49-956 du 16-7-1949 sur les publications destinées à la jeunesse
Dépôt légal : septembre 1989